Cet ouvrage a été imprimé sur un papier
issu de forêts gérées durablement
et de sources contrôlées.

Une première version de cette histoire
a paru dans *Les récrés d'Agathe*.

ISBN 978-2-7002-3564-7

Les récrés  d'Agathe

Texte de Pakita
Images de J.-P. Chabot

Nos animaux rigolos
du jeudi

RAGEOT•ÉDITEUR

Vous savez quoi ? J'adore les récrés!

La récré du **lundi**, du **mardi**, du jeudi, du vendredi, toutes les récrés!

On **court,**
on joue,
on **bavarde,**
on **chante,**
on crie,
on **rigole,**
on **ploufe,**
on tope,
on **se dispute,**
on **perd,** on **gagne,**
on **fait la paix,**
on **invente**
même des
jeux...
Il faut
que je vous
raconte!

Jeudi

DRIIIIING! Ce matin, quand la sonnerie de la récré a retenti, on est tous sortis en même temps de la classe! Ça a fait un bruit énorme.

— Maîtresse! Tom m'a poussé!

— Maîtresse! Charlotte m'a dépassée!

La maîtresse a crié :

– Arrêtez ! On dirait un **troupeau d'éléphants.**

– **ONH ONH !** Moi, je suis un **orang-outan,** a grogné Hugo.

– **Wrouaouh !** Et moi, un lion, a rugi Théo en mettant ses cheveux en crinière.

La maîtresse a souri et a dit :

– Allez jouer dehors, les **animaux !**

À peine arrivée dans la cour, j'ai proposé :

– Et si, aujourd'hui, c'était **l'école des animaux ?** Abracadabra ! Je vous transforme en **animaux.**

– Wrouaouh !

Devinez qui c'était ? Le lion Théo.

Vite, j'ai attrapé Théo et Clara et bras dessus, bras dessous, on s'est promenés dans la cour en chantant :

– Qui veut jouer au **loup** et aux **moutons** ?

– Moi, moi, moi, moi, MOI !

– Qui veut être le **loup ?** a demandé Théo.

– Pas moi ! Pas moi ! PAS MOI !

Alors on a ploufé une ploufe qu'on a inventée :

Loup poilu, loup affamé,
Loup qui se cache dans la forêt,
Loup dodu, gros loup qui pue,
Ne te cache pas, je t'ai vu !
C'est toi !

– Hou hou hou ! Je suis le **loup !** a crié Enzo.

Bêê Bêê Bêê

On s'est aussitôt mis à quatre pattes.

– B ê ê !

Nous, on est les **moutons.**

Et on s'est sauvés

Bêê

car le **loup** nous courait après.

Au début, on jouait sur l'herbe

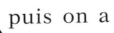

puis on a continué sur le goudron de la cour.

Bêê

Soudain, on a entendu : **AÏE !**

C'était le **loup.** Il avait galopé

tellement vite que l'intérieur de ses pattes avant était rouge et **brûlant !** On a regardé nous aussi la paume de nos mains. Oups, c'était pareil.

Alors Chloé qui connaît les **escargots** par cœur, elle en a chez elle, a crié :

– Abracadabra ! Je nous transforme en **escargots.**

Elle nous a expliqué le jeu qu'elle avait inventé : **la course des escargots.**

– Mettez-vous
par deux. Il y
en a un qui
est le corps
de **l'escargot**
et l'autre fait sa
coquille. La **coquille**
doit être accroupie au-dessus du
corps de **l'escargot.** Et elle ne
doit pas quitter son corps.

Enzo a donné le départ :

– 3, 2, 1, 0, c'est parti !

– **AÏE !** OUILLE ! BADABOUM !

Moi, **Agathe-coquille,** je venais de m'emmêler les pieds dans la robe de **Coralie-escargot.**

Tom-coquille est parti comme une fusée.

Il a hurlé :

– J'ai gagné !

– Tu parles, a rigolé Léa. Je suis devenue limace.

– Perdu Tom ! a déclaré Enzo. La **coquille** ne doit pas quitter son **escargot.**

– Puisque c'est comme ça, abracadabra, je nous transforme en **mille-pattes,** a déclaré Tom.

J'adore ce jeu. Il faut se tenir par la taille, baisser la tête, et interdiction de se lâcher ! Évidemment, plus on est nombreux à jouer au **mille-pattes,** plus c'est drôle.

– **Mille-pattes** Zoé et **mille-pattes** Romain, vous êtes prêts ? a demandé Tom (Zoé et Romain étaient à la tête du **mille-pattes**).

On a tous crié :

– Ouiiiiiiiiiii !

Alors Tom a annoncé :

– 3 **mille,** 2 **mille,
mille-pattes,** partez !

Et on est partis ! Euh… dans
tous les sens ! On se poussait,
on se tirait, on se mélangeait les
pieds, on est… retombés. Deux
mille-pattes l'un sur l'autre,
vous imaginez le grand bazar ?
On n'arrivait même plus à se
relever.

Il y en avait qui pleuraient de rire et d'autres qui pleuraient parce qu'ils avaient un peu mal. Résultat : on n'a jamais franchi la ligne d'arrivée.

– **Abracadabra !** a déclaré Charlotte. Je nous transforme en **écureuils.**

Pour jouer au jeu de l'**écureuil,** on se met par deux, face à face, en se tenant les mains pour faire une maison avec un **enfant-écureuil** par maison.

Celui qui commande le jeu dit : « Écureuils, sortez ! » Alors les écureuils sortent de leur maison pour chercher des noisettes et quand il crie : « Attention au renard ! », vite, les écureuils doivent se réfugier dans une maison.

Seulement voilà, une des maisons a disparu. Il y a donc un écureuil qui sera éliminé.

Les **écureuils** étaient sortis. Charlotte, la chef du *jeu,* a prévenu :
– Attention au sanglier !

On a continué à se promener, car Charlotte avait dit : sanglier et pas renard.

Du coup, Charlotte a crié :

– Tous les **écureuils** ont perdu !

On n'était pas d'accord, surtout Lou qui n'aime pas perdre.

C'est alors que Lou s'est approchée de moi et m'a glissé à l'oreille :

– **Abracadabra !** Agathe, je nous transforme en **perroquets !**

Le **jeu** du **perroquet,** c'est le **jeu** le plus énervant du monde. On répète tout ce que disent les autres.

– Un sanglier, un renard, c'est pareil, a dit Charlotte.

Et nous, on a **perro**queté :

– Un sanglier, un renard, c'est pareil.

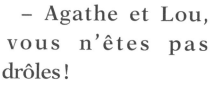

– Agathe et Lou, vous n'êtes pas drôles !

– Agathe et Lou, vous n'êtes pas drôles !

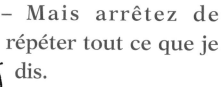

– Mais arrêtez de répéter tout ce que je dis.

– Mais arrêtez de répéter tout ce que je dis.

À ce moment, Sarah est arrivée avec sa corde à sauter.

– **Abracadabra !** Je nous transforme en **singes** et ma corde est un serpent.

Et on a commencé à jouer à la corde-serpent.

Mathilde et Sarah tenaient chacune la corde d'un côté en la faisant onduler au sol.

On devait sauter en imitant les **singes** et interdiction de marcher sur la corde-serpent sinon on avait perdu.

Au début, le jeu était facile. Le serpent bougeait lentement, puis il s'est énervé, il fallait sauter de plus en plus vite.

Louise, qui n'y arrivait pas, a déclaré :

– **Abracadabra !** Je nous transforme en **animaux** du zoo. Il y a 2 groupes d'**animaux.** Pour s'échapper du zoo, il faut attraper le **bâton-clé** qui est devant moi. Chaque **animal** du groupe 1 fait la course avec un **animal** du groupe 2.

– Quand un **animal** attrape la clé le premier, elle a continué, son groupe marque un point. Le groupe qui a le plus de points a gagné sa liberté.

– Avec moi les tigres, j'ai dit.

– Avec moi les **autruches,** a dit Lucas.

– Prêts à vous enfuir du zoo ? Attention, 3, 2, 1, 0, partez ! a crié Louise.

J'ai couru le plus vite que j'ai pu mais oh non, c'est Lucas qui a gagné !

– Les **autruches** : 1 point, les tigres : 0, a annoncé Louise.

Tous les tigres et toutes les **autruches** ont couru et ce sont les **autruches** qui ont gagné la clé de la liberté.

Après on était tellement fatigués qu'on s'est laissés tomber par terre.

– **Abracadabra !** Je nous transforme en **paresseux.** Et les **paresseux,** c'est **paresseux.** Ils courent au ralenti le plus lentement possible et le dernier arrivé a gagné.

On a avancé **len-te-ment...** très **len-te-ment** sauf Tom. Il n'a pas réussi à ralentir ses gestes alors il est arrivé premier, ce qui veut dire que, chez les **paresseux,** il a perdu ! Grrr... il a fait une énorme grimace.

– Hi hi ! Je crois que j'ai gagné, regardez-moi, a dit Lou.

C'est vrai, Lou était bien la dernière de tout le groupe.

– Forcément Lou,
a dit Pierre. Tu ne
bouges pas du tout !
Mais ça, c'est interdit,
tu as perdu.

– J'ai peut-être
perdu, a répliqué Lou, mais qui
est-ce qui a inventé
la **course des
canards accroupis** avec les mains
sur les genoux ?
Et la **course des
kangourous**
en sautant
à pieds
joints ? Et la **course
des grenouilles
bondissantes** ?

37

– Et moi j'invente un jeu pour rigoler ! a hurlé Jules. Abracadabra ! Je nous transforme en **animaux** de la ferme. Choisissez chacun un **animal.** Ça y est ? Regardez, la cour de la ferme se trouve ici.

Jules a dessiné un carré avec ses pieds et il a marqué les limites avec des petits cailloux.

– Attention, quand je dis :
« Le soleil se lève », la ferme
se réveille et chante. Quand je
dis : « **Le soleil se couche** »,
les **animaux** se taisent et se
rendorment.

    – Le soleil se lève !

    – **Wouaf !** *Bêê !* **Meuh !** Miaou !
Groin groin ! **Cot cot codet !** Coin
coin ! Hi han ! Coâ ! Coâ !

On faisait de la vraie musique de campagne.

— **Le soleil se couche!** Allez hop, au lit, les **animaux** de la ferme!

On s'est allongés par terre et on a fait semblant de dormir et même de ronfler.

— J'ai une autre idée!

Abracadabra! Je nous transforme en **ours** et en abeilles, a dit Félix.

Et il nous a expliqué son jeu :

– La ruche se trouve sous le tilleul. Les **ours** gourmands arrivent pour manger le miel. Les abeilles font BZZZZZ! et courent derrière eux pour les piquer avec leur dard. Dès qu'un **ours** est piqué, il se transforme en abeille et il va près de la ruche.

BZZZZZ

ZZZZZ

BZZZZZ

BZZZZZ

On s'est amusés comme des fous ! **BZZZZZ** ! Les **abeilles** couraient avec leur doigt devant le nez pour imiter le dard et les **ours** se balançaient lourdement, les pattes... euh les bras ballants.

À la fin, il ne restait que l'**ours-Charlotte.** Alors nous, les **abeilles,** on a foncé sur elle et on l'a chatouillée avec nos dards. Mais...

... DRIIIIIING!

– Wouaf! Bêê! Meuh! Miaou! Groin groin! Cot cot codet! Coin coin! Hi han! Coâ! Coâ!

– Clap clap!

Ça, c'était la maîtresse qui tapait dans ses mains, impatiente.

– Allez, en rang les enfants. C'est l'heure d'aller à l'école des animaux.

Et on est vite montés en classe en riant.

À la récré prochaine, les amis!

L'auteur

Pakita aime tous les enfants! Les petits, les gros, les grands, avec des yeux bleus, verts ou jaunes, avec la peau noire, rouge, orange, qui marchent ou qui roulent, et même ceux qui bêtisent!

Pour eux, elle se transforme en fée rousse à lunettes, elle joue, elle chante, elle écrit des histoires et des chansons pour les CD, les livres ou pour le dessin animé.

L'illustrateur

Jean-Philippe Chabot est né à Chartres en 1966. Avant d'entrer à l'école il dessinait déjà. À l'école, il dessinait encore. Puis il a choisi de faire des études de… dessin. Et maintenant, son travail c'est illustrer des albums et des romans.

Il est très heureux de dessiner tous les jours et parfois même la nuit mais toujours en musique.

Les récrés  d'Agathe

48 pages - 5,50 euros

Nos jeux préférés
du lundi

On invente
des jeux de plein air
pour passer
une récré géniale.

Nos inventions
géniales du mardi

Aujourd'hui
récré calme
spéciale graine
d'imagination !

Nos animaux rigolos
du jeudi

On s'amuse
en jouant
à l'école
des animaux.

Mon secret
du vendredi

Devinez
ce que j'ai trouvé
en jouant à maxi
cache-cache ?

Les récrés d'Agathe

Toute la série
L'école d'Agathe
sur www.rageot.fr

Achevé d'imprimer en France en juillet 2011
par I.M.E. - 25110 Baume-les-Dames
Dépôt légal : août 2011
N° d'édition : 5400 - 01